Pito dans le magasin de jouets

par

Caroline Gilles

Le Ballon

‘Courage, Hiphop! Encore quelques pas et nous sommes au sommet de la colline’ dit Pito au petit lapin.
‘J’en peux plus’ souffle Hiphop. ‘Je suis crevé, Pito.’ Pito, lui, est déjà arrivé. Il regarde autour de lui. ‘J’ai marché autant que toi et je ne suis même pas fatigué.’ Boum!
Hiphop tombe assis au milieu du sentier.

‘J’ai quatre petites pattes Si tu veux que je vienne encore avec toi, il faudra me tirer dans un chariot.’

Pito s'arrête. Hiphop a raison. 'Tu vois cette maison?' demande-t-il. 'C'est un magasin de jouets, je vais aller chercher un petit chariot.'

Pito et Hiphop regardent
la vitrine du marchand de jouets.
'Une locomotive!' s'exclame
Hiphop. 'Achète-la pour moi!'
'Mais tu n'entrerais pas dedans'
pouffe Pito.
Les deux amis pénètrent
dans le magasin.

'Que désirez-vous?' Pito sursaute. Qui a parlé? Sur une étagère, il aperçoit une boîte et de cette boîte, un clown sort sa drôle de tête. Pito prend Hiphop dans ses bras.

'Mon lapin est si fatigué' explique-t-il. 'Je voudrais lui acheter un chariot. Vous auriez ça?' 'Non' répond le clown. 'Moi, je ne fais que des farces avec des balles et des ballons. Demande aux ours.'

Un petit ours est assis sur une balançoire. ‘Vous cherchez des chariots?’ demande-t-il. ‘Je n’en ai pas. Moi, je me balance uniquement. En haut, en bas, en haut... Adressez-vous à mon père.’ Le papa du petit ours

a une casquette sur sa grosse tête. ‘Si j’ai un chariot pour vous?’ grogne-t-il. ‘Non, je n’en ai pas. Allez chez la poupée. Moi je suis un agent de police. Si je lève mon drapeau, tout le monde doit s’arrêter, mais vous pouvez passer.’

La poupée dort dans un berceau, au pied d'un grand escalier. 'Bonjour, poupée ' dit Pito. 'Nous cherchons des véhicules. Tu en as?' 'Non,' répond la poupée, 'moi, je ne circule pas, je reste tout le temps dans mon berceau. Je me balance. A gauche, à droite, à gauche,...

Regarde là-haut. Les chariots sont peut-être là.'

'Merci, poupée' crie Pito du haut de l'escalier. Puis, il s'adresse à Hiphop: 'Cherche bien. Un chariot a quatre roues et une longue barre pour le tirer.'

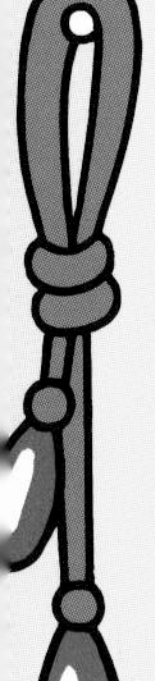

Hiphop rampe entre tous les jouets.
'Je vois une barre, Pito.' 'Ce n'est pas une barre, c'est le manche d'une bêche' déclare Pito.
Les deux amis trouvent un arrosoir et un bateau.
Mais toujours pas de chariot.

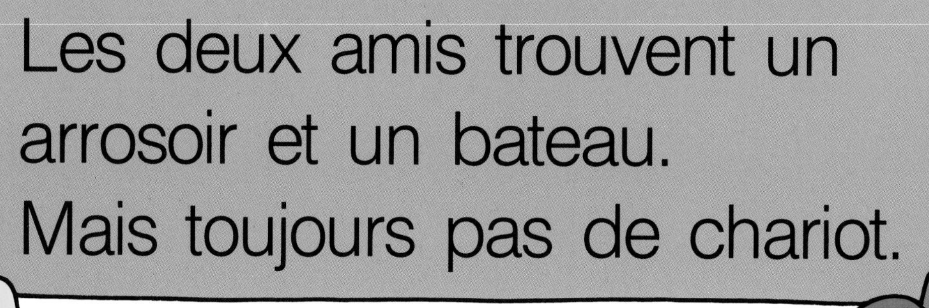

‘Je vais demander au canard gonflable’ annonce Pito. Mais le canard n’a pas de chariot non plus. ‘Moi, je n’aime que l’eau’ lance le canard en agitant les pattes et en éclaboussant tout autour de lui. ‘Demandez au cheval à bascule.’

Au rayon des chevaux, il y a trois chevaux. 'Tu es le cheval à bascule?' s'enquiert Pito auprès du plus grand. 'Oui ' hennit le cheval. 'Qu'y a-t-il?' 'Tu aurais un chariot pour nous?' 'Non, je n'ai pas de chariot, je me contente de basculer.'

‘Regarde du côté des vélos’ suggère un tout petit cheval à bascule. ‘Peut-être que tu auras la chance de trouver ce que tu cherches.’ Les deux amis se dirigent dans la direction indiquée. Et là... voilà enfin ce qu’il leur faut!

Hiphop saute tout de suite dans un petit chariot en bois et Pito se met à le tirer. ‘Tu devrais acheter ces patins à roulettes’ propose Hiphop, ‘nous irions plus vite!’

Pito
va
au zoo

Tu as vu ce que Pito tient dans sa patte? Deux entrées au zoo! Il vient de les acheter. Une pour lui et une pour Hiphop, son lapin. Ce fut toute une expédition.

D'abord le bus, puis le joyeux petit train.
Joyeux?
Mais oui, regarde, il est décoré de ballons multicolores.

ZOO

Les premières cages sont celles des singes. Ceux-ci voltigent en tous sens, suspendus par la queue. ‘Je voudrais aussi me balancer’ s’exclame Hiphop. ‘Mais tu n’as pas une queue de singe’ pouffe Pito. ‘La tienne est une petite boule de laine.’ Pito a raison. La queue de son lapin n’est ni longue, ni fine.

'Les singes
mangent beaucoup
de bananes'
explique Pito. 'Peut-
être que ta queue va pousser si
tu en manges aussi.' Des
bananes? Hiphop frissonne.
'Moi, je aime les choux et
les carottes!' Pito rit. 'Je le sais
bien! C'était pour te charrier!'

A côté des singes, habite le roi Lion. C'est un vrai roi, comme tu peux le constater. Le toit de sa cage a la forme

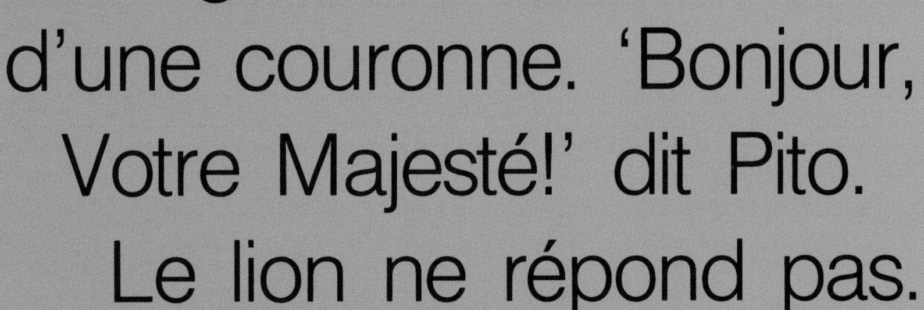

d'une couronne. 'Bonjour, Votre Majesté!' dit Pito. Le lion ne répond pas. Il regarde Fred, l'éléphant, qui joue avec un ballon.

Pito se dirige alors vers les chameaux. 'Mon fils a les plus belles bosses du monde ' clame Maman Chameau.
'C'est vrai?' s'étonne Pito. 'Tu ne trouves pas?' 'Je ne sais pas, mais si vous le dites...' répond Pito.

Hiphop est déjà chez les girafes. ‘Quelles drôles de bêtes!’ pense-t-il. Il ne voit que quatre longues pattes.
‘T’es quoi, toi?’

Hiphop sursaute. Des pattes qui parlent? Mais non, c’est la girafe qui parle, bien sûr!

La girafe plie son long cou. 'T'es quoi, toi?' répète-t-elle. Tu penses que Hiphop va lui répondre? En bien, non! Il prend ses pattes à son cou!

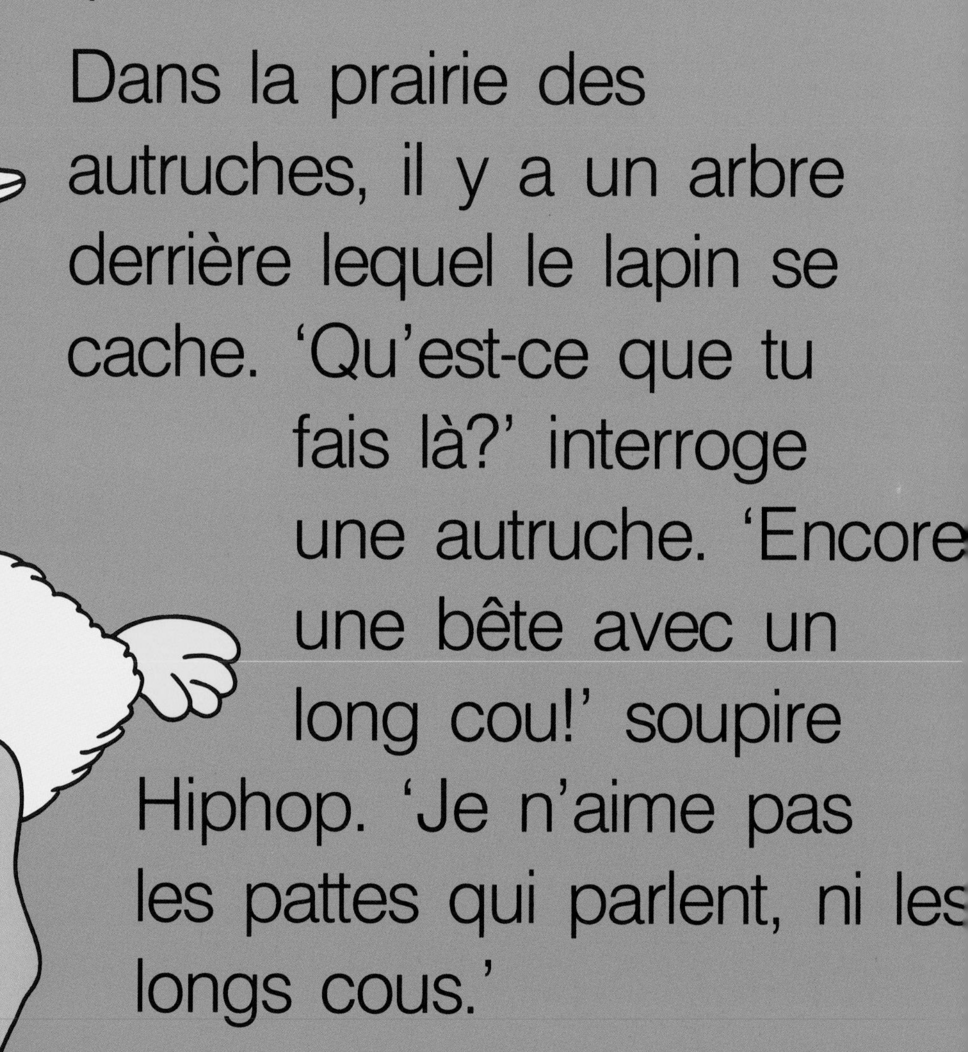

Dans la prairie des autruches, il y a un arbre derrière lequel le lapin se cache. 'Qu'est-ce que tu fais là?' interroge une autruche. 'Encore une bête avec un long cou!' soupire Hiphop. 'Je n'aime pas les pattes qui parlent, ni les longs cous.'

‘Tu viens, Hiphop?’ Ouf, voilà Pito! Soulagé, le lapin file vers les zèbres. Quelles belles rayures! Hiphop contemple sa propre fourrure. ‘Je veux aussi des lignes, Pito.’ ‘Tu es beau comme ça!’ ‘Un lapin zébré, ça n’existe pas!’

Il y a beaucoup d'animaux au zoo: des tigres, des oiseaux, des serpents, des gros ours bruns, des ours polaires et des cerfs. Hiphop fait un concours de saut avec Maman Kangourou. 'Houp, Hiphop, houp, houp!' crie Pito pour encourager son ami. Et Hiphop gagne!

Cette joyeuse course se déroule sous le regard amusé d'un ours polaire. 'Pas trop chaud, Gros Nounours?' lui lance gentiment Pito. 'Ça va, je m'habitue, mais c'est vrai que chez moi, il fait nettement plus froid' répond l'ours blanc.

Le dauphin saute en
l’air puis replonge en
passant par un cerceau.
Il éclabousse tout!
‘Au secours! Je me
noie!’
s’exclame
Hiphop.

Le lapin se noie-t-il vraiment?
Mais non! Il est seulement trempé.
'Tuuuût! Tuuuût!' Le petit train appelle, il est temps de rentrer!
Dommage, il restait encore tant de choses à voir!

'Vous reviendrez?'
Hippo l'hippopotame sort sa grosse tête de l'eau. Pito attrape son lapin. 'Dis, ne mange pas mon ami, hein?' 'Je ne mange que des plantes' grommelle l'hippopotame.
'Alors, nous reviendrons' promet Pito.

Pito au jardin public

‘Hiphop,’ dit Pito à son lapin, ‘tu es une vraie poule mouillée.’ Hiphop lui lance un regard furieux: ‘Je n’ose pas descendre à la cave, c’est tout. Et j’ai seulement eu peur quand le chat a sauté de l’arbre. A part ça, j’ai peur de rien.’ Pito éclate de rire. ‘Allons au jardin, nous verrons bien lequel de nous deux a le plus peur!’

‘D’accord ’ répond Hiphop. Ils vont tout d’abord sur la balançoire. ‘Tiens-toi bien’ crie Pito, ‘ou tu vas t’envoler!’ ‘Woups!’ fait Hiphop qui se met à hurler: ‘Pito, je veux descendre!’. ‘Trouillard’ déclare Hiphop.

A côté de la balançoire, il y a un tonneau. Pito grimpe dedans. ‘Fais comme moi’ ordonne-t-il.

Pito se met à courir. D'abord lentement, puis de plus en plus vite. 'Je veux sortir!' crie Hiphop. 'Pito, arrête!' 'Tu vois que j'avais raison! Tu as déjà eu peur sur la balançoire et maintenant, dans le tonneau.' 'J'ai pas peur! Mais je trouve pas ça amusant,' boude Hiphop. 'J'ai presque perdu mes pattes!' Pito se tord tellement de rire qu'il tombe hors du tonneau!

'Je trouve ça drôle' annonce Hiphop en désignant le carrousel. 'Je veux monter sur un petit canard, Pito.' Pito installe son ami sur le dos d'un des canards et il se perche sur un autre. Le patron

du carrousel les pousse un peu et les deux amis se mettent à tourner. Les oreilles du lapin battent de plaisir. Et Pito? Pito ferme les yeux très fort! Quelle drôle d'impression!

‘Je veux descendre’ s’écrie Pito,
‘j’ai mal au ventre.’ Dès que le
carrousel s’arrête, il se laisse
glisser du canard et roule dans
l’herbe. Tout tourne autour de lui!

Dans le jardin, il y a aussi une cage à poules. Et qui arrive le premier tout en haut? Hiphop? Et qui n'ose pas monter? Pito!
'Allez, viens!' appelle le lapin. Pito fait non de la tête. 'J'ai le vertige' avoue-t-il. 'C'est quoi, le vertige?' Hiphop n'a jamais entendu ce mot.

'C'... C'est qu-quand tu n'oses pas monter sur quelque chose de haut.' 'C'est toi qui as peur maintenant et pas moi!' fanfaronne Hiphop qui redescend en faisant des culbutes.

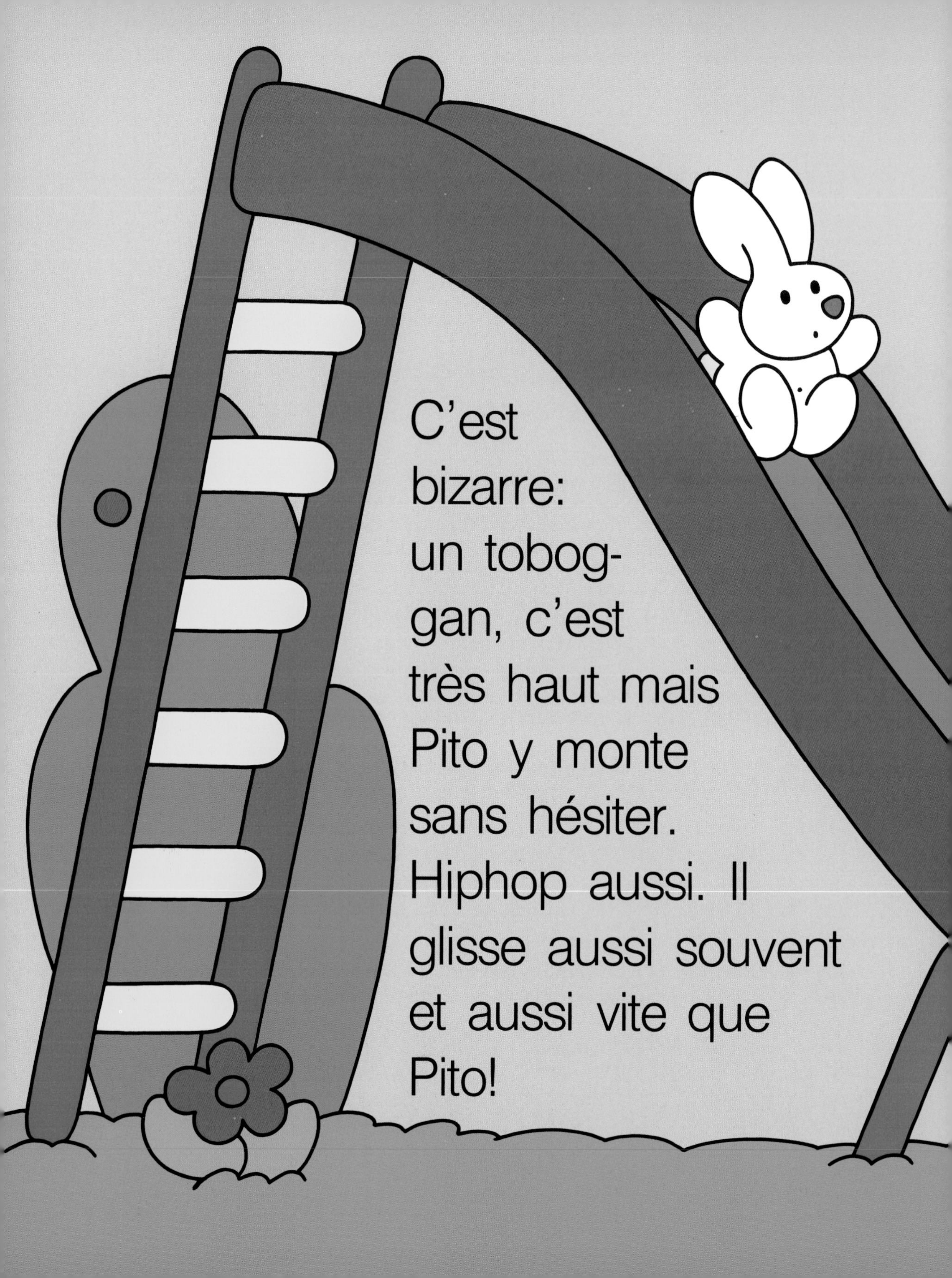

C'est
bizarre:
un tobog-
gan, c'est
très haut mais
Pito y monte
sans hésiter.
Hiphop aussi. Il
glisse aussi souvent
et aussi vite que
Pito!

'Faut que je m'arrête.' dit-il soudain, tout essoufflé. 'Ma petite queue commence à chauffer!' 'Tu as de nouveau peur?' se moque Pito mais quand il regarde la queue de son ami, il constate en effet que le lapin avait raison. Un petit nuage de fumée se dégage de la boule de poils!

'En haut, en bas, en haut...' chantonne Pito sur l'autre balançoire. 'Allez Hiphop, plus haut!' Il vole vraiment haut, le petit chien! Hiphop, lui, ne se balance pas très fort. Il préfère rester plus près du sol. 'Fais tout de même attention, Pito.' prévient-il. 'Tu pourrais tomber!'

Tu crois que Hiphop
va avoir peur du
téléphérique? Eh bien, non!

Il adore ça!
Pito pas! Il se cramponne
très fort.
'Cette roue va se détacher
du câble'
pense-t-il.

‘Et alors, nous serons par terre!’ Mais oui, ...
Pito a peur! ‘Viens,’ propose-t-il à son ami.
‘Allons manger une glace et puis, tu sais quoi?

Je ne te traiterai plus jamais de poule mouillée car tu oses faire des tas de choses.' 'Toi aussi ' admet Hiphop.
'Nous sommes tous les deux un peu trouillards et un peu courageux!'

Pito à la ferme

‘J’ai envie de crêpes’
déclare Hiphop, le petit
lapin. ‘Bonne idée’
approuve son ami Pito.
‘Je vais en faire. Nous
avons du lait, de la farine,
du beurre et du sirop, mais
plus d’œufs.
Allons en chercher à la ferme.’

Dans la prairie à côté de la ferme, nos amis aperçoivent un cheval. ‘Tu habites ici?’ demande Pito. ‘Tu n’aurais pas des œufs?’ ‘Je suis le cheval du fermier, je tire sa charrette’ répond le cheval. ‘Mais je n’ai pas d’œufs.’

Hiphop montre du doigt
une vache à taches
blanches et noires.
‘Ce n’est pas un
cheval, ça’ dit-il.
‘Je suis une vache’
déclare celle-ci.
Mais elle fait non de
la tête quand Pito lui
demande des œufs.

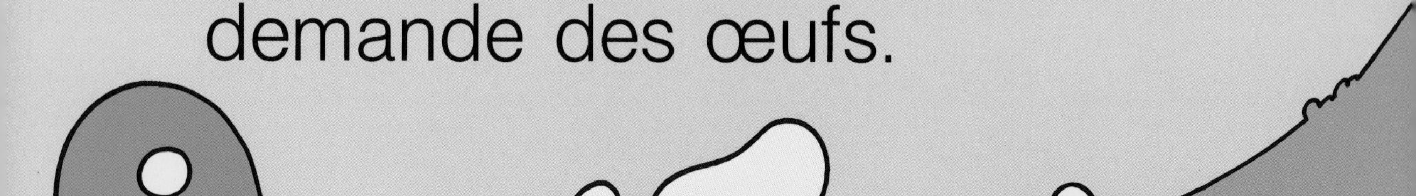

‘Moi, je donne du lait et le fermier en fait du beurre et du fromage. Je suis désolée, je ne peux pas vous aider.’
Pito et Hiphop vont-ils abandonner? Non, bien sûr, ils ne perdent pas courage. ‘Ces animaux-là auront sûrement des œufs’ affirme Pito.

Mais qu'il est bête!
Ce sont des moutons
cette fois! 'Avec notre
toison, on fait de la laine.
Une fois par an,
le fermier nous rase,
puis la fermière tisse
de longs fils pour
tricoter des pulls et
des chaussettes' explique
l'un d'eux.
'Pour des œufs,
il faudra vous adresser
ailleurs!' 'Bloup!' L'estomac
de Hiphop gémit.
'Pito, j'ai tellement faim...!'

‘Je l’entends’ admet Pito, ‘mais il n’y en a plus pour longtemps. Tu as vu?’ Les deux affamés sont arrivés devant une grange et sur le bord de la fenêtre du toit, un gros chat noir les contemple.
‘Ici, nous aurons des œufs, crois-moi’ promet Pito.

'Miaou! Des œufs? Chez moi? Vous m'avez bien regardé?' pouffe le chat. 'Je suis un chat, moi. Je suis chargé d'attraper des souris' ajoute-t-il en se léchant les babines d'une petite langue rose. 'Mmh! C'est délicieux, les souris!'

Pito et Hiphop poursuivent leur chemin, scandalisés. Eux, ils trouvent les souris gentilles, et cette sale bête les mange! Devant une belle niche, ils tombent sur un chien. 'Bonjour, moi c'est Pito et voici mon ami, Hiphop.'

Hiphop a peur du chien, il se dit qu'il est vraiment trop gros. 'Wouaf!' aboie celui-ci d'ailleurs. 'Je surveille la ferme. Je suis le chien de garde. Je dois chasser tout le monde.' 'Nous cherchons des œufs.' explique Pito. 'J'en ai pas! Wouaf! Ouste!'

‘Pito, des lapins!’
Hiphop saute de joie. ‘Aucune chance de trouver des œufs ici,’ proteste Pito.
‘Je le sais bien,’ dit Hiphop en riant. ‘Je voudrais jouer un peu avec eux.’ Mais les lapins n’ont pas le temps.
‘Nous devons manger des carottes.’
Tout un champ!’
dit un petit lapin.

'Le fermier a semé ces carottes pour vous?' s'étonne Hiphop. 'Ben,... non! Il les vend au marché mais nous les adorons!' 'Et il est content que vous mangiez ses carottes?' 'Tu en poses des questions ' marmonne le lapin.

‘Je n’aime pas ces lapins ’ dit Pito. ‘Viens Hiphop, je pense que je sais où nous allons trouver des œufs. Chez ces oiseaux, là.’ Les oiseaux que le petit chien a découverts sont perchés sur un mur.

'Les oiseaux pondent des œufs ' assure Pito en les interrogeant: 'Vous êtes des oiseaux?' 'Non, nous sommes des poules. Et nous pondons chaque jour tellement d'œufs que le fermier les vend.'

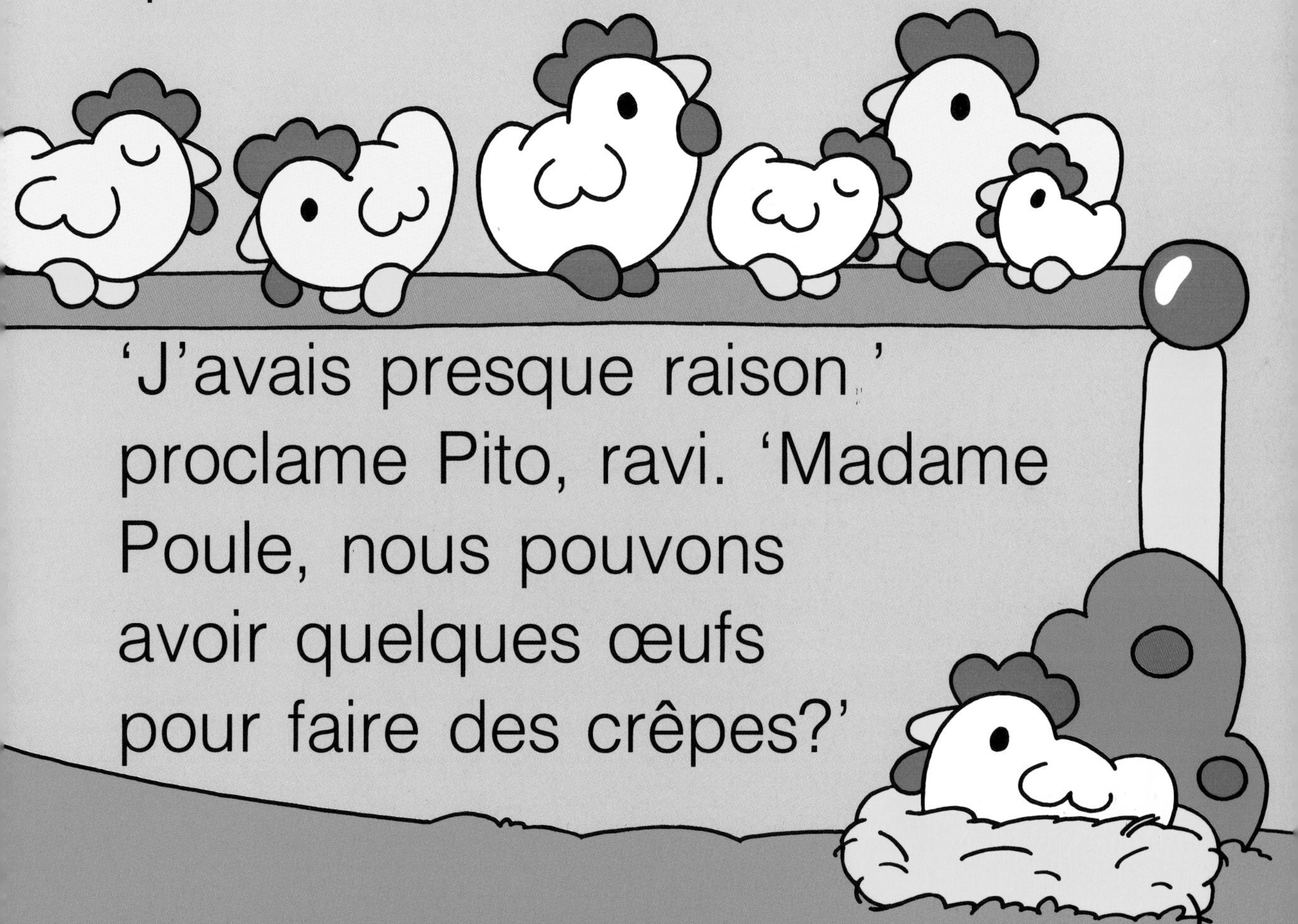

'J'avais presque raison ' proclame Pito, ravi. 'Madame Poule, nous pouvons avoir quelques œufs pour faire des crêpes?'

'Prends-en autant que tu veux!' caquettent amicalement les poules. Et cette après-midi-là, Pito fit toute une pile de crêpes. Les deux amis se sont régalés. Ils ont tout mangé. Il n'en restait plus une miette!